HANS JOACHIM SCHÄDLICH

D1407689

Le coupeur
de mots

**TRADUIT DE L'ALLEMAND
PAR JEANNE ÉTORÉ ET BERNARD LORTHOLARY**

ILLUSTRATIONS DE PHILIPPE DIEMUNSCH

Castor Poche

Chapitre 1

Le lundi, le mardi, le mercredi, le jeudi, le ven-
dredi et le samedi, à six heures trente précises, le
gros réveil sonne si fort, juste à l'oreille de Paul,
que Paul croit rêver d'un gros réveil qui sonnerait
très fort, juste à son oreille. Mais comme c'est un
rêve, ou que tout au moins Paul le croit, il se tourne
de l'autre côté pour se rendormir. Mais comme le

TROP
E DE 7 LIVRE
O A M

réveil sonnait si fort dans le rêve de Paul que Paul s'est éveillé, Paul s'éveille, se retourne et regarde à six heures trente précises le gros réveil qui vient juste de sonner. « Ce réveil ne sonne décidément pas, se dit Paul, j'ai donc bien rêvé. »

« Qu'est-ce que Paul devrait faire ? » se demande Paul. Il réfléchit un moment, puis ça lui revient : s'asseoir dans son lit, repousser la couverture, poser les pieds par terre. Ouh ! Quel froid ! Paul se recouvre jusqu'au menton.

Sinon, pas un bruit. À moins que ? Non, pas un bruit. Paul ferme les yeux et se dit : « Le sommeil qui vient après le réveil est le meilleur sommeil ».

C'est alors que la porte s'ouvre ; la maman de Paul crie d'une voix bien trop forte :

– Debout, Paul !

Elle allume une lumière bien trop éblouissante. La voix bien trop forte de la maman de Paul et cette lumière bien trop éblouissante, c'en est trop pour Paul ! Finis le lit chaud et le meilleur sommeil après le réveil.

Paul s'assied dans son lit, repousse la couverture et pose les pieds par terre. Ouh ! Encore plus froid que Paul ne l'avait pensé.

Quand il fait froid, le matin, Paul inverse toujours l'ordre des opérations : il commence par
s'habiller, puis il se lave.

Le petit déjeuner de Paul ne prend pas plus de
cinq minutes. Paul n'est pourtant pas pressé d'aller à l'école.

Sur le chemin de l'école, il y a toujours quelque
chose à voir. Et pourquoi Paul ne regarderait-il
pas lorsqu'il y a quelque chose à voir ?

Plus d'une fois, déjà, Paul est arrivé en retard parce qu'il avait regardé ce qu'il y avait à voir. Dans ces cas-là, il dit qu'il s'est rendormi. Un jour, il a dit qu'il y avait eu trop de choses à voir en chemin. Mais lorsque le maître lui a demandé ce que c'était, Paul n'a plus eu envie de raconter. Alors le maître a décrété que c'était une mauvaise excuse de la part de Paul, parce que Paul ne voulait pas avouer qu'il s'était rendormi.

Depuis ce jour, Paul prend le chemin de l'école à sept heures précises. Et la maman de Paul demande tous les matins :

— Pourquoi pars-tu si tôt, Paul ?

Mais elle ne s'étonne pas outre mesure. Elle sait qu'il lui faut toujours beaucoup de temps. Par conséquent, elle trouve finalement que Paul a raison de partir si tôt.

Chapitre 2

La première chose que voit Paul est un arbre blanc géant qui flotte dans le ciel au-dessus de la tête de Paul.

« Un arbre-du-ciel qui flotte », se dit Paul.

Un arbre géant, blanc.

Un arbre blanc, géant.

Un géant du ciel, un arbre blanc.

Un arbre géant, blanc, dans le ciel.

Au bout de sept pas – Paul va très lentement –,
l'arbre est un éléphant.

Six pas plus loin, l'éléphant est une locomotive.

Cinq pas plus loin, la locomotive est un lit. Le
vent fait du nuage ce qu'il veut : arbre-nuage, éléphant-nuage, locomotive-nuage, lit-nuage.

Paul, qui se sent encore fatigué, s'assiérait bien
sur le dos de l'éléphant-nuage qui le mènerait
confortablement à l'école. Il aimerait encore mieux
s'allonger dans le lit-nuage. Il ne dormirait pas,

c'est sûr, il ne ferait que somnoler. Les minces lambeaux de nuages qui s'effilochent et s'entremêlent autour du lit-nuage ressemblent à de la choucroute. De temps en temps, Paul prendrait bien une portion de choucroute dans le bleu du ciel.

Paul est arrivé à l'arrêt du tram. Un tramway, certes, ce n'est pas une locomotive-nuage, mais ce n'est quand même pas rien. Paul se poste derrière le conducteur et le regarde actionner la sonnette puis démarrer.

En fait, Paul n'aime pas cette sonnette. Elle lui rappelle que le temps passe et que l'école va commencer. Les passagers se bousculent ; il faut que Paul fasse bien attention de ne pas être emporté dans cette bousculade.

Un vieux monsieur dit à un autre monsieur, plus jeune :

– Tous les matins, je prends ce tramway, et tous les matins c'est le même cirque. On te secoue, on te cahote à te faire passer les derniers restes de fatigue si jamais tu étais encore fatigué !

Le tramway secoue et cahote en poursuivant sa route, mais Paul n'écoute pas plus longtemps l'entretien matinal des deux hommes. Il s'aperçoit qu'il commence à pleuvoir.

Des paquets de pluie s'écrasent sur le tramway comme des vagues qui auraient la hauteur d'une maison s'écraseraient sur un navire. L'eau frappe contre les vitres et ruisselle à torrents sur ces vitres, de sorte que Paul se voit tout entouré d'eau. Le tram-way chemine à côté d'un camion de charbon, qui fraie péniblement sa voie sur la chaussée inondée.

Peu avant d'arriver à l'école, les rails sont si bossus et tordus que le tramway-navire tangue et rechigne. Le capitaine réduit le régime de moitié.

Le cargo de charbon se faufile devant le tramway-
bateau. Derrière le tramway-bateau s'est glissée
une voiture-canot vert grenouille qui veut obliquer
sur la gauche dans un canal latéral. Personne n'a
plus le droit de passer à côté du tramway-bateau,

parce que le tramway s'arrête. Un autre tramway
arrive en sens inverse, il croise le tramway de Paul.
Entre ces deux tramways, il y a si peu d'espace que
même Paul ne pourrait sans doute pas se faufiler.

Paul descend. L'école n'est plus très loin. Paul ferait bien un détour, mais il est déjà sept heures quarante. En plus, il pleut. Alors Paul se presse.

Après ses rencontres avec un éléphant-nuage et un tramway-bateau, Paul ne s'étonne pas de voir surgir devant l'école un homme dont l'aspect couperait le souffle même à un garçon plus grand que Paul.

L'homme ouvre un grand parapluie vert, monte sur une caisse de bois qui ressemble à une valise et se met à chanter !

Mais ce n'est pas véritablement un chant. Paul croit entendre à la fois un corbeau, une planche de grenier et un ours. L'ours grogne, la planche craque et le corbeau croasse :

> *Reprends vos prépositions*
> *Aux meilleures conditions.*
> *Enlève attributs en lots,*
> *contre salade de mots.*
> *Vous débarrasse à prix fixe*
> *de vos consonnes (sauf x).*
> *Cédez présents et parfaits*
> *contre vos devoirs tout faits.*

Paul arrive juste à temps en classe. Aujourd'hui Paul a sciences nat', mathématiques, russe, français, français, russe. Les cours sont comme tous les jours. Paul ne travaille pas plus qu'à l'habitude, il ne travaille pas moins non plus.

Il attend plus impatiemment aujourd'hui la grande récréation pour discuter de l'entraînement avec tous les joueurs de son équipe de foot.

Chapitre 3

Les cours finis, Paul rentre vite à la maison. Il a oublié l'homme à la valise de bois et sa chanson.

Paul a décidé de se débarrasser de ses devoirs de classe avant l'entraînement de foot. Paul allait juste ouvrir son cahier de français quand on sonne à la porte. Paul entrouvre un peu la porte et il en oublie de refermer la bouche !

L'homme à la valise de bois se tient sur le seuil.

– Je m'appelle Filolog, dit l'homme d'une voix grondante, craquante et croassante. J'ai une proposition à te faire, ajoute-t-il en tapant sur sa valise.

Paul répond :

– Mes parents travaillent, reviens plutôt ce soir, s'il te plaît !

Mais l'homme poursuit :

— Je me charge de tous tes devoirs de classe pendant une semaine si tu me donnes toutes tes **PRÉPOSITIONS** et... disons, par exemple, tes **ARTICLES DÉFINIS**. Ce n'est pas grand-chose.

Paul réfléchit et réplique :

— Mais comment est-ce que je te donnerais mes prépositions et quoi que ce soit de ce genre ? Je ne les ai pas dans mon placard.

— Tu dis que tu me les donnes, un point c'est tout. Et bien sûr, je te fais un reçu.

Alors Paul se dit : « Toute une semaine sans devoirs à la maison... Et il me suffit de dire : "Je te donne mes prépositions, et... et quoi ? Ah, oui, mes articles définis." Si ce n'est que ça. » Paul a décidé.

— D'accord, je te donne mes prépositions et mes articles définis.

Il conduit l'homme jusqu'à sa chambre.

Filolog pose son grand parapluie vert dans un coin, ouvre sa valise en bois et en sort un bloc-notes. Pendant qu'il rédige le reçu, Paul voit ce que contient la valise. Elle est remplie de petites boîtes en bois, et chaque petite boîte porte une étiquette.

Paul lit sur une étiquette le mot « PRONOMS » et un nom qu'il croit connaître. Paul se souvient que c'est celui d'un élève de la classe au-dessus, il se dit : « Je ne suis donc pas le seul. »

Filolog, assis au bureau de Paul, tend le reçu à Paul et s'attaque immédiatement à ses devoirs.

Paul fourre le reçu dans la poche de son panta-
lon et dit :

— **Je vais stade.**

Filolog arbore un sourire satisfait.

Le soir, la maman de Paul demande si Paul a
fait ses devoirs.

— Oui, répond Paul.

— Et qu'est-ce que tu as fait d'autre ? demande
la maman de Paul.

– Oh ! répond Paul, je suis allé entraînement foot. Ensuite nous sommes allés marchand glaces.

La maman de Paul fixe Paul avec de grands yeux, mais elle ne dit rien. Elle pense que Paul a sans doute encore inventé un nouveau jeu.

À propos de la pluie qu'il a reçue le matin même, Paul raconte :

– Pluie s'écrasait tramway, comme des vagues aussi hautes qu'une maison.

La maman de Paul l'interrompt :

– Tu ne vas quand même pas me raconter que le tramway a été écrasé par la pluie !

– Mais, je n'ai jamais dit ça ! rétorque Paul.

Chapitre 4

C'est à l'école que les choses se gâtent vraiment. Les camarades de Paul s'aperçoivent tout de suite qu'il y a quelque chose qui ne va pas. Dès qu'il prononce une parole, tous les regards sont rivés sur lui.

En géographie, comme Paul est interrogé et que le maître lui demande où se jette le Main,

Paul répond :

— **Main se jette Rhin.**

Tout le monde rit, même les amis de Paul. Le professeur reprend :

— Le Main ne se jette rien du tout, Paul.

Au directeur qui passe dans le couloir pendant la récréation et veut savoir si le professeur est encore dans la classe, Paul répond :

— **Non, il n'est pas classe.**

Le directeur en reste une seconde sans voix. Dans son affolement, Paul oublie ce que dit le directeur. Ce n'est en tout cas rien de très agréable.

Mais être dispensé de devoirs à la maison, Paul trouve quand même ça vraiment bien. Enfin, il peut faire ce qui lui plaît en sortant de l'école. Ce qu'il préfère c'est jouer au football. Mais il est tout seul. Les autres ne viennent au stade que lorsqu'ils ont terminé leurs devoirs. Qu'est-ce que Paul pourrait bien faire pendant ce temps ? Il s'allonge dans l'herbe et regarde le ciel.

Paul s'ennuie.

Chapitre 5

Le lundi suivant, la semaine sans devoirs est écoulée. Paul revient de l'école et soupire déjà parce qu'il trouve qu'il aurait dû être libéré plus d'une semaine. Paul ne prend plus vraiment plaisir à regarder ce qu'il y a à voir, parce qu'il ne peut plus vraiment le raconter comme il faudrait. Il n'a pas non plus vraiment plaisir à parler. Ses camarades se moquent de lui, le professeur pense qu'il fait de mauvaises plaisanteries, et le directeur se fâche.

« J'aurais dû exiger au moins deux semaines », se dit Paul, et il s'assied à son bureau.

C'est alors que la sonnette retentit ; Filolog est sur le pas de la porte.

Paul l'invite à entrer et dit :

– Il faut que tu me donnes encore une semaine.

– Bon, mais pas gratuitement, craque la planche de grenier.

– Qu'est-ce que tu veux en échange ?

– Je veux toutes tes **FORMES VERBALES**, croasse la voix.

– Toutes mes **FORMES VERBALES** ? s'enquiert Paul, effaré.

– **L'INFINITIF**, tu peux le garder, ça m'est égal, grogne l'homme.

Paul réfléchit : « Après tout, **L'INFINITIF** suffit peut-être. Et je pourrais aller me baigner tous les après-midi, en attendant que les autres viennent jouer au foot. En plus, cet après-midi, il y a un cirque ! »

– D'accord, répond Paul.

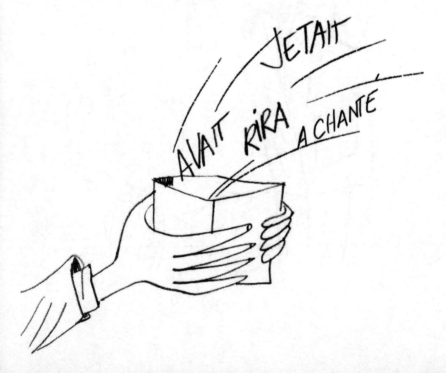

Filolog ouvre la valise, en sort une nouvelle petite boîte sur laquelle il inscrit « **FORMES VER-BALES** » et, au-dessus, le nom de Paul.

Paul prend son reçu et part au cirque.

Chapitre 6

La représentation ne commence qu'à quinze heures. Paul a le temps de visiter d'abord la ménagerie. Devant les cages où sont couchés les lions, Paul rencontre son ami Bruno.

Paul lui demande :

— **Toi aussi, aller cirque ?**

Bruno s'étonne.

– Paul, qu'est-ce qui t'arrive ?

– Rien, répond Paul. **Quand faire tu devoirs ?**
Bruno s'exclame :

– Maintenant arrête, Paul !

À la caisse, Paul ne dit rien. Il donne l'argent à Bruno, et Bruno achète deux billets d'entrée.

Avant le début de la représentation, Paul demande encore :

– **Qu'être ce qui te plaire le plus, acrobates ou dompteurs ?**

— C'est toi qui commences à me plaire !

Alors Paul se tait jusqu'à la fin de la représentation, il aurait pourtant bien aimé dire quelque chose.

À la fin, Bruno a presque mauvaise conscience.

Le soir, à table, Paul veut à tout prix parler du cirque à ses parents.

— Merveilleux être dressage, dit-il. Un tigre sauter un cerceau enflammé. Un éléphant asseoir grand tabouret.

Les parents de Paul sont profondément affli-
gés d'entendre Paul parler ainsi. Il leur a toujours
raconté ses journées au dîner, et maintenant il ne
sait plus faire que des phrases de ce genre.

Son père, qui ne veut rien laisser paraître, lui
demande :

– Et les acrobates ?

– Il y avoir des trapézistes et un funambule,
répond Paul. Funambule tenir un parapluie chaque main et porter épaules une fille.

Cette fois, Paul voit bien que ses parents sont
très tristes.

Paul parti dans sa chambre, sa maman dit :

— Au début, j'ai cru qu'il avait inventé un nouveau jeu. Mais ça n'a plus rien du jeu. Qu'est-ce qui peut bien lui arriver ?

— Peut-être est-il malade ? s'interroge le père.

La mère reprend :

— Non, certainement pas. Je m'en serais aperçu. Il doit y avoir autre chose. Mais quoi ?

– Attendons, répond le père. Il faut que nous prenions patience.

À l'école, Paul parle le moins possible. Ses camarades sont là, attendant qu'il ouvre la bouche pour pouffer de rire. Ils sont persuadés que Paul a trouvé un truc pour se payer la tête du professeur.

Seul Fritz, qui n'a jamais été l'ami de Paul, dit à Paul pendant la récréation :

– Être petit bout, falloir aller maternelle. Ou rester jupe sa maman.

Pour finir, le professeur appelle Paul et se fâche.

– Si cela continue, nous allons te dire deux mots. Qu'est-ce que tu crois exactement ? Tu imagines que tu peux tout te permettre, hein ? Ressaisis-toi, s'il te plaît, et arrête tes sottises !

Chapitre 7

Le troisième lundi, Paul dit à Filolog :

– **Je ne pouvoir plus rien faire tout seul. Tu ne devoir pas me laisser tomber maintenant.**

Filolog est content. Mais, bien sûr, il ne fait rien pour rien !

Paul proteste :

– **Tu avoir déjà pris assez !**

Mais Filolog reste intraitable.

Pour finir, Paul cède :

– **Alors, tu vouloir quoi?**

Et Filolog répond :

– De tous les mots qui commencent par deux **CONSONNES**, je demande la première des deux, ce n'est pas une affaire.

Dès le lendemain, Paul mesure l'ampleur des dégâts.

Au déjeuner, sa maman lui demande de faire les courses en sortant de l'école. Paul doit acheter une part de brie, des quenelles de brochet, deux grappes de chasselas, une frisée. En plus, sa mère a besoin d'un paquet de frites congelées pour accompagner les brochettes.

— Tu veux que je te fasse une liste, ou est-ce que tu t'en souviendras ? interroge la maman de Paul.

— **Pas liste.**

À la sortie de l'école, Paul va à la petite épicerie du coin.

La vendeuse lui demande :

— Qu'est-ce qu'il te faut, Paul ?

Paul débite d'un trait la commande de sa mère :

— Une part de rie, des quenelles de rochet, deux rappes de hasselas, une risée. Et un paquet de rites congelées pour accompagner les rochettes.

La vendeuse, qui a entendu parler de ce qui arrive à Paul, répond en s'efforçant de garder son sérieux :

— Je regrette, Paul, nous n'avons pas ça. Il faut que tu essaies ailleurs.

Paul sort en trébuchant.

Tout l'après-midi, il arpente les rues de la ville. Il s'apprête à renoncer, lorsqu'il aperçoit enfin Filolog sortant d'une maison. Filolog porte dans la main gauche son parapluie, dans la main droite sa valise en bois.

— Filolog ! appelle Paul.

Filolog se retourne et attend.

À bout de souffle, Paul s'arrête devant Filolog et lance le plus vite qu'il peut :

— **Je vouloir tout reprendre !**

Mais Filolog se contente de lui éclater de rire au nez.

— N'importe qui peut venir me dire ça, répond-il. Nous avons conclu un marché sérieux, et basta. Ou bien, est-ce que par hasard je n'aurais pas fait tes devoirs ?

Paul est désespéré.

– **Je te donner mes indiens, mes voitures, et même mon racteur. Et mon ballon de foot!** dit Paul.

Filolog rit.

– Je ne collectionne pas ce genre d'objets, réplique-t-il, mais j'ai une idée.

Il ouvre sa valise et en tire une feuille de papier.

– Je te rendrai tout, déclare-t-il, si tu trouves tout ce qui manque sur cette feuille. Tu as un jour de délai. Nous nous retrouverons ici même.

Paul arrache le papier des mains de Filolog et rentre chez lui en courant.

Sa maman est très en colère parce qu'il n'a pas fait les courses. Maintenant il faut qu'elle aille faire les commissions elle-même, alors qu'elle est fatiguée par son travail.

Paul s'éclipse dans sa chambre et lit la page de Filolog. Et voilà ce qu'il lit :

Il y avoir un homme rosses oreilles.
Homme aimer manger. Il rire ou
aller romenade. Il porter un costume
ris. Ses affaires être joliment
rasseuses. Il s'arrêter chaque maison
et tendre oreille. Il vouloir entendre
enfants. Homme avoir toujours sa
valise main. Souvent il rentre une
maison.

Appartement homme être un
désordre extraordinaire. De tous côtés,
il y avoir des boîtes bois. Quelquefois
homme rétiller. Alors il rendre boîtes
et les jeter air. Une boîte atterrir
rigidaire, une boîte atterrir lampe.
Mais homme ne faire que rire.
Homme être rès négligent.

Soir il s'asseoir table et ratter. Ou peindre? Souvent il lire ses raffitis haute voix. Cela avoir rande allure. Homme sauter table en chanter :

Ce que je veux, je l'aurai
Si je l'ai, je le tordrai
mot à mot et trait pour trait
chat mord chien, chien chat
mordrait

Chapitre 8

De son côté, Filolog, rentré chez lui entre-
temps, fait des bonds autour de la table et lance
ses petites boîtes en l'air en chantant :

Paul le fol,
fol de Paul,
ses deux jambes il lui fallait,

mais dans sa tête a pensé
qu'avec une ça irait,
et l'autre il me l'a donnée.
Ce que j'aurai il n'a pas,
ce que j'ai il n'aura pas.

Filolog est si content du malheur des autres qu'il en devient écarlate. Il faut qu'il reprenne son souffle, il s'assied sur sa valise en bois, haletant.

–Il n'aura pas, n'aura pas...

Paul n'en dort pas pendant la moitié de la nuit.

Le lendemain, il demande à Bruno de l'aider. Ils se retrouvent chez Paul après la classe, et Paul trahit son secret à Bruno.

— Dis donc, mon vieux, tu as fait n'importe quoi !

— **Je savoir bien**, répond Paul, **mais que vouloir tu que je faire maintenant ?**

— Il faut que tu réapprennes tout ce que tu as donné à Filolog, répond Bruno.

— **Et comment ?** demande Paul.

— Tu cherches dans ta grammaire et dans ton dictionnaire. Et pour ce que tu n'arriveras pas à trouver, je t'aiderai.

Aussitôt dit, aussitôt fait.

Paul ouvre sa grammaire et s'aperçoit qu'il faut dire : « Il y avait un homme... »

Il essaie toutes les **CONSONNES** devant le « r » de « rosses » et découvre que c'est un « g » qui manque :

– **J'y être!** s'exclame-t-il, **première phrase dire : « Il y avait un homme grosses oreilles.» Être ça Bruno?**

– Non, répond Bruno, il manque encore quelque chose.

Paul consulte à nouveau sa grammaire et dit :

– **« Il y avait un homme** *avec* **grosses oreilles.» Non, « ... avec de grosses oreilles».**

– Juste! proclame Bruno.

Phrase après phrase, Paul rétablit les choses. Il faut parfois que Bruno vienne à son secours. Ce n'est pas si facile que cela pour Bruno. Mais ça l'est quand même plus, parce qu'il a tout dans sa tête. Paul doit au contraire se reporter constamment à sa grammaire ou à son dictionnaire.

À la fin, la page est entièrement gribouillée ; Paul a corrigé au feutre bleu et voilà le résultat :

Il y ~~avoir~~ **avait** un homme **avec de** grosses oreilles.

L'Homme ~~aimer~~ **aimait** manger. Il ~~rire~~ **riait** ou ~~aller~~ **allait** en promenade. Il ~~porter~~ **portait** un costume gris.

Ses affaires ~~être~~ **étaient** joliment crasseuses.

Il s'~~arrêter~~ **arrêtait à** chaque maison et ~~tendre~~ **tendait** l'oreille. Il ~~vouloir~~ **voulait** entendre **les** enfants.

L'Homme ~~avoir~~ **avait** toujours sa valise **à la** main.

Souvent il ~~rentre~~ **rentrait dans** une maison.

L'Appartement **de l'**homme ~~être~~ **était dans** un désordre extraordinaire. De tous **les** côtés, il y ~~avoir~~ **avait** des boîtes **en** bois. Quelquefois l'homme ~~frétiller~~ **frétillait.** Alors il ~~prendre~~ **prenait les** boîtes et les ~~jeter~~ **jetait en l'**air. Une boîte ~~atterrir~~ **atterrissait** sur le frigidaire, une boîte ~~atterrir~~ **atterrissait sur la** lampe.

Mais l'homme ne ~~faire~~ **faisait** que rire.

L'Homme ~~être~~ **était** très négligent.

Le Soir, il s'~~asseoir~~ ^asseyait à la^ table et gratt~~er~~ ^ait^.

Ou ~~peindre~~ ^peignait^ ? Souvent il ~~lire~~ ^lisait^ ses graffitis ^à^ haute voix. Cela ~~avoir~~ ^avait^ grande allure. L'Homme ~~sauter~~ ^sautait sur la^ table en ~~chanter~~ ^chantant^ :

Bah ! le reste, Paul ne veut plus en entendre parler.

Il se fait tard. Paul met la feuille dans sa poche. Bruno l'accompagne au rendez-vous du coin de la rue.

Filolog est déjà là. Paul lui tend la feuille sous le nez et, de colère, Filolog lâche sa valise en bois.

– Bon, d'accord, grogne-t-il.

Il fouille à grand-peine dans sa valise, en tire quatre boîtes qu'il ouvre et dont il vide le contenu.

– Voilà, croasse-t-il.

Paul ajoute encore :

– Quant à moi, je ne te donnerai plus jamais rien, pas la moindre petite syllabe !

Il se retourne et s'en va avec Bruno.

Filolog l'entend seulement crier :
– Filolog, coupeur de mots, coupeur de langue !

TABLE DES MATIÈRES

Castor Poche

Des romans pour les grands

Castor Poche

Un été aux Arpents

ALAN WILDSMITH

« Je leur racontai tout. Le silence, l'immobilité et la sensation de frousse. Comme si quelqu'un ou quelque chose m'avait surveillé. Et puis, après, la cabane, les braises et le feu mourant dans le foyer. »

John, David et Paula sont ravis de quitter la ville pour s'installer aux Arpents, une maison plantée au milieu de la forêt canadienne. Mais à peine sont-ils arrivés qu'ils remarquent des traces de présence humaine sur leur domaine. Une nuit même, un tambour résonne... En secret de leurs parents, les trois enfants décident d'enquêter. Seulement, l'intrus semble prendre un malin plaisir à jouer à cache-cache avec eux... Et s'il était dangereux ?

Castor Poche

Le renard qui cherchait le printemps

HUBERT PAUGAM

Au fond de lui-même, Blanchot se demandait : « Existe-t-il seulement au monde d'autres parents capables de se séparer d'un de leurs enfants ? » Et il pleurait, pleurait.

À cause de sa fourrure blanche trop repérable au milieu du pelage brun de ses frères et sœurs, Blanchot a été abandonné par les siens. Livré à lui-même, le petit renard a beau être débrouillard, il doit continuellement craindre pour sa vie ! Avec Vieux Corbeau, son nouvel ami, il décide de partir à la recherche du pays où règne l'Éternel Printemps. Là, il sera en sécurité. Un périple semé d'embûches attend les deux voyageurs...

Castor Poche

L'affaire
des hamsters

KATIE DAVIES

« Tom et moi, on n'est pas censés parler des hamsters parce qu'il vaut mieux essayer d'oublier. Mais on n'a pas vraiment exagéré, parce qu'il n'y a rien de plus horrible qu'un massacre. »

Après avoir longtemps tanné leur mère, Tom et Anna adoptent non pas un mais deux hamsters. En plus, l'un d'eux donne bientôt naissance à huit bébés ! Mais horreur ! Le lendemain, les petits gisent dans leur sang, leur mère a une patte en moins, et l'autre hamster a disparu... Qui est le coupable ? La liste des suspects est longue et l'enquête s'avère difficile... L'aide de leur voisine, agent de police à la retraite, leur sera très précieuse pour interroger les témoins et relever des indices.

Castor Poche

L'île du sommeil

FABRICE COLIN

« *En tombant dans le coma, j'étais arrivé ailleurs : Noctance, l'île de mes rêves. Un endroit étrange, plein de dangers et de merveilles. C'est là qu'était ma vie, désormais. C'est là qu'étaient mes amis.* »

Après un accident de vélo, Eelian se retrouve dans un monde parallèle, peuplé de créatures extraordinaires : Elemm, le grand cerf, Oloon, l'homme-loup, le Picancroque, avec sa tête de citrouille, et Marvelle, la fée végétale. Tous l'entourent de leur affection, et Eelian en oublie presque ses parents et son grand-père, qui attendent son réveil. Pourtant, Eelian devra bientôt affronter d'effrayants personnages : le pirate Minuit-moins-une et le terrible docteur Mortès...

Castor Poche

La princesse qui détestait les princes charmants

PAUL THIÈS

« – Ah ! là ! là ! se lamentait le roi, si au moins ma petite fille pensait aux carrosses et aux citrouilles comme une princesse normale au lieu de mettre du piment rouge dans mon ragoût. »

Non seulement Clémentine déteste les princes charmants, mais ses talents de farceuse surpassent ceux de son ami, le bouffon Cabriole ! Excédés par ses bêtises, ses parents l'envoient à l'école des Princesses pour lui apprendre les bonnes manières. Pauvre Clémentine ! Elle va devoir supporter la directrice, Cunégonde la redoutable, et ses horribles régimes. Heureusement, Cabriole va l'aider à se sortir de là... et à donner une bonne leçon aux princes charmants !

Castor Poche

Sauvons les dragons !

WILLIS HALL

« — Et maintenant, mesdames et messieurs, avec l'aide de mon assistant, je vais réaliser un tour de magie exceptionnel. Du jamais vu, à vous couper le souffle. Le jeune Edgar Rollins va se volatiliser sous vos yeux ! »

Lorsque le garçon entre dans la grande boîte noire censée le faire disparaître, il est transporté des siècles en arrière, à l'époque des chevaliers de la Table ronde... Car le magicien à l'origine du tour n'est autre que Merlin l'Enchanteur ! Le célèbre sorcier a en effet besoin d'Edgar pour mettre fin au massacre des dragons par le roi Arthur...
S'il veut rentrer un jour chez lui, le garçon a tout intérêt à remplir sa mission !

Castor Poche

Une formule magicatastrophique

ANNE-MARIE DESPLAT-DUC

« J'en ai marre ! Plus que marre ! Je ne suis ni Gauvain, mon petit frère de quatorze mois, ni Mélusine, ma sœur aînée. Je suis celui du milieu, et mon sort n'est pas enviable, je vous jure ! »

Josselin n'a ni la liberté du premier-né ni la place de chouchou du petit dernier. Un jour, en consultant un livre de sortilèges, il trouve une formule qui permet de prendre la place d'un autre. Josselin récite l'incantation... et se réveille dans le petit lit à barreaux de Gauvain ! Mais au fil des heures, il se rend compte qu'être un bébé n'est pas si enviable... La place de l'aînée sera-t-elle plus avantageuse ?

Castor Poche

19 fables de Renard

JEAN MUZI

« — *Si je savais où trouver quelqu'un d'assez fort pour neutraliser Renard, dit le paysan, je n'hésiterais pas à traverser la mer pour aller le chercher. Il faut se rendre à l'évidence : nul n'est aussi rusé que lui.* »

Que ce soit pour croquer le Coq ou le Corbeau ou bien pour jouer des tours au Loup, au Lion ou à la Panthère, Renard trouve presque toujours un stratagème pour parvenir à ses fins. Mais il lui arrive parfois d'être pris à son propre piège... Dans ces fables issues des littératures orales d'Afrique, d'Asie ou d'Europe, Renard est partout un héros populaire, dont les ruses amusent autant qu'elles enseignent une morale.

Castor Poche

L'année du Mistouflon

ANNE-MARIE CHAPOUTON

« L'animal a six grosses pattes à poils frisés d'un joli bleu ciel, un ventre rebondi, une queue qui se tortille et une tête grosse comme la courge que Firmin a vendue hier. »

Stupeur générale à Lourmarin : les villageois ont capturé un mistouflon, une étrange bête douée de la parole, qui se nourrit de mégots et boit de la « Picole » ! Ils trouvent l'animal si amusant qu'ils décident de le garder avec eux. Mais bientôt, la nouvelle de son existence s'ébruite, et le directeur d'un zoo exige qu'on le lui remette. Comment cacher un tel animal ?

Castor Poche

Le Chat botté et autres contes

CHARLES PERRAULT

« Un meunier ne laissa pour tous biens à ses trois enfants que son moulin, son âne et son chat. Le plus jeune n'eut que le chat. Ce dernier ne pouvait se consoler d'avoir un si pauvre lot. »

La Belle au bois dormant, Le Petit Chaperon rouge, La Barbe bleue, Le Maître chat ou le Chat botté, Les Fées, Cendrillon ou la petite pantoufle de verre, Riquet à la houppe, Le Petit Poucet et *Peau d'Âne*. Les célèbres contes de Charles Perrault instruisent toujours autant qu'ils émerveillent et amusent.

Castor Poche

L'élan bleu

DANIEL PINKWATER

« Dans le journal, il y eut un article sur l'élan bleu de M. Breton, si courtois avec les clients du restaurant, si habile à faire le service et si précieux en cuisine. En ville, il n'était plus question que de lui. »

Depuis qu'un élan bleu a débarqué dans le restaurant de M. Breton pour lui proposer son aide, celui-ci ne sait plus où donner de la tête: les clients viennent en hordes voir le spectacle... et se régaler de sa fameuse soupe aux chipirons! M. Breton est ravi... jusqu'au jour où l'élan bleu déniche une vieille machine à écrire et décide de rédiger ses mémoires.
Qu'a-t-il donc de si extraordinaire à raconter?

Castor Poche

Dans les yeux d'Angel

CÉCILE ROUMIGUIÈRE

« Caroline a proposé d'inviter le nouveau à jouer à chat, mais on a tous grimacé : vraiment, ç'aurait été la honte de jouer avec ce garçon bizarre et si mal habillé. Laura a résumé la situation en lançant :
– Laisse, c'est un gitan. »

Personne, dans la classe, ne voit d'un bon œil l'arrivée d'Angel. Surtout pas Camille ! Et dire que la maîtresse l'a placé à côté d'elle... Quand il s'agit de sauver une grenouille, Camille se retrouve au beau milieu du camp des Voyageurs. Là, elle découvre l'ampleur de ses préjugés : ils ne sont pas tous joueurs de guitare, ni menteurs, et encore moins voleurs. Et Angel, lui, n'est pas si facile à apprivoiser...

Castor Poche